w wesołym miasteczku

tekst oryginalny

Gilbert Delahaye

tekst polski

Wanda Chotomska

ilustracje

Marcel Marlier

Papilon

MARLIER

Wujek Ryś, który jest fotoreporterem i zrobił Martynce zdjęcie na wózku zaprzężonym w kozę, mówił, że do ich miasta przyjedzie wesołe miasteczko. Że są w nim karuzele, beczki śmiechu, króliki w kapeluszach, małpiszony i balony, które wydmuchuje dęta orkiestra...
Martynka myślała, że to wujek robi z niej balona, że tak tylko żartuje, ale wesołe miasteczko przyjechało naprawdę.
Na razie je ustawiają, a na mieście pojawiły się plakaty: „Wesołe miasteczko – atrakcji wiele – otwarcie w niedzielę”.

Nareszcie! Jest niedziela i pierwsza z atrakcji wesołego miasteczka – karuzela. Wujek Ryś przyprowadził Jasia i Martynkę, pstryknął im zdjęcia i popędził robić następne. A oni – jadą na konikach i z głośnika leci muzyka:

– Przyjechała karuzela do miasteczka,
karuzela zaprzężona w siedem koni,
a ten jeden, najpiękniejszy, tylko patrzył,
tylko czekał, żebym na nim wiatr pogonił.

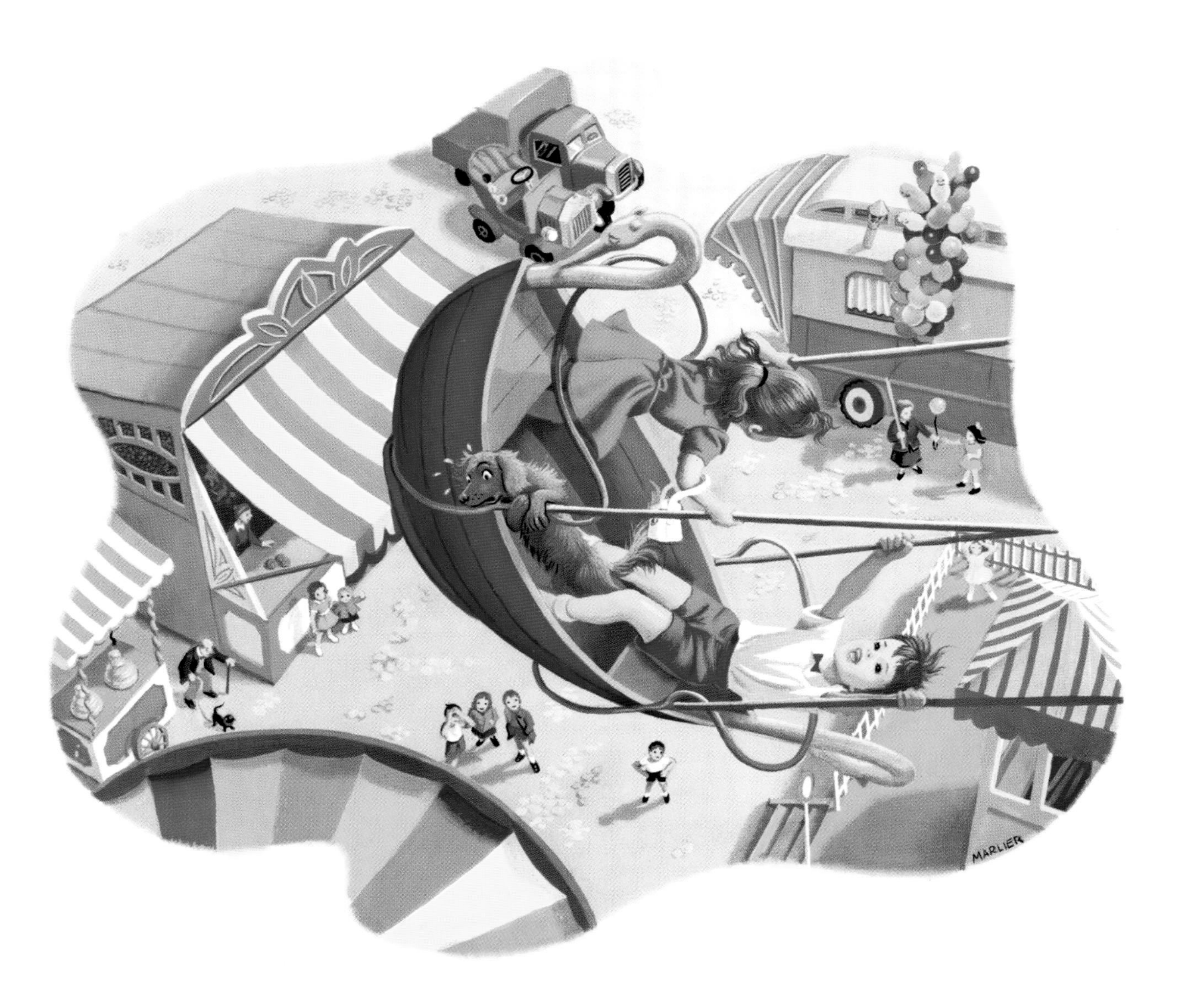

I huśtawki są... Nie, nie, nie bójcie się! Martynka, Jaś i Pufek – masz ci los, Pufek za nimi też przyleciał! – wcale się na tych huśtawkach nie huśtają.
Huśtawki są jeszcze nieczynne, bo nie zamocowano w nich pasów bezpieczeństwa. Ale Jaś, który lubi straszyć, już sobie na zapas wyobraża – co by było, gdyby... No, właśnie – co by było, gdyby się huśtali bez pasów?
– Ale byłoby strasznie! Pufek to by chyba ze strachu zwariował, ty byś wyła na cały głos: „yyy", a ja...

– A tyyy… – przedrzeźnia go Martynka – …przejrzyj się
w lustrze.
Zaprowadziła Jasia i Pufka do gabinetu krzywych luster
i patrzy, jak wyglądają.
– O rety, ale jesteś gruba! – śmieje się Jaś.
– Ty też! Wyglądamy jak te dzieciaki spaślaki, chipsami
i hot dogami karmione. A Pufek… Widzisz, jaką ma minę?
– Zeza dostał!

A teraz będą króliki w kapeluszach... Wujek Ryś mówił Martyncе, że w wesołym miasteczku magik wyciąga z kapelusza króliki. A tutaj... Myszy! Słowo daję, myszy! Kiedy magik zdjął cylinder, z kapelusza wyskoczyły myszki. I trzy białe myszki pana magika tańczą teraz białego walczyka!
Ciekawe, co się wylęgnie z jajek, które magik położył na stole? Może króliki, o których mówił wujek Ryś? W wesołym miasteczku wszystko jest możliwe.

Uff! Po tych emocjach warto pójść na lody.
– Zimne lody dla ochłody, to jest myśl! – podśpiewuje Jaś.
Ale na razie stoją przed straganem z ciasteczkami. Migdałowe, orzechowe, nugaty, babeczki...
– Dwie babeczki dla kawalera i panieneczki – śmieje się sprzedawca.
Lody będą później. Są w wózku na kółkach. Dziewczynka w żółtej sukience mówi, że poziomkowe najlepsze. A pan lodziarz ma jeszcze pistacjowe, orzechowe, czekoladowe, bananowe... Mnia, mnia, mniam! Pufkowi język o mało nie ucieknie.

A to co? Na półce stoją puszki. Dwóch klaunów zachęca do rzucania piłkami.

– Kto puszki piłką postrąca, weźmie w nagrodę zająca!

– Kto trafi, wygra niedźwiedzia!

– Kto przegra – ucho od śledzia!

– Kto małpie strąci czapeczkę, dostanie pustą puszeczkę!

Może lepiej obejrzeć przedstawienie w kukiełkowym teatrze?

Martynka poszła do teatrzyku, a Jaś na strzelnicę.
– Żeby wygrać, trzeba trafić w środek tarczy – wyjaśnia szeryf.
I zachęca:
– Starsi kowboje wygrywają napoje! Damy dostają kwiaty!
A małolaty idą do chaty!
Tak właśnie powiedział, kiedy Jaś nie trafił w tarczę. I zabrał mu strzelbę.
– Nie trafiłem, bo lufa nie była scentrowana... – tłumaczy się Jaś.

I za chwilę oboje z Martynką siedzą już w samochodzie. Na tylne siedzenie władowała się jakaś nieletnia.

– Pasażerka z przedszkola... – mruczy Jaś. – Samochody są elektryczne, więc jeżdżą po cichu, a ta mała warczy przez cały czas, jakby silnik połknęła. Brrr... brrrr... grrrr... Uspokój się, Pufek, to nie na ciebie. A swoją drogą, ciekawe, jaki samochód ma jej tata? Chyba jakiegoś grata.

Czy Martynka i Jaś latali w wesołym miasteczku samolotami? Na pewno nie. Na takiej samolotowej karuzeli nie wolno latać dzieciom bez opieki dorosłych. Nie latali, ale sobie wyobrażali, że latają.
Stali z zadartymi nosami pod karuzelą i tym razem Jaś, wyobrażając sobie, że to on pilotuje skrzydlatą maszynę, warczał jak silnik awionetki. A Martynka uspokajała Pufka:
– Pufek, to nie na ciebie. Ciebie przecież w ogóle nie ma w tym samolocie. I nas zresztą też nie ma...

A może spróbować szczęścia na loterii? Hurra, udało się! Martynka postawiła na siódemkę i wygrała lusterko. Teraz ma ochotę na słonia. Może jeszcze raz zagrać? Który numer obstawić? Może ósemkę?

– Frr! – zakręciło się zębate koło z numerami.

– Dziewiątka???

Nie, tylko jej się tak wydawało. Szóstka do góry nogami wygląda jak dziewiątka, a dziewiątki w ogóle nie ma na tarczy.

W wesołym miasteczku jest takie nieduże zoo. Martynka nie lubi widoku zwierząt w klatkach. Chciałaby, żeby wszystkie żyrafy żyły na wolności w Afryce, a małpki swobodnie skakały po drzewach. Jak pomóc tej małej małpce? Może dać jej banana? Trzeba poprosić o zgodę pana pilnującego zwierząt.
Zgodził się. Ale kiedy Martynka podawała banana, małpka – hyc! – jednym ruchem zerwała jej z głowy kapelusz. Teraz przegląda się w lusterku. Ciekawe, kto jej dał? Bo na pewno nie jest to lusterko, które wygrała Martynka.
– Ludzie, z czego się śmiejecie? Trzeba zabrać małpce lusterko! Ona się może skaleczyć!

Dobrze, że przybiegł strażnik. Małpce zabrał lusterko, Martynce oddał kapelusz. Teraz – nowa atrakcja.
– Kto złapie balon, tego pochwalą! – nawołuje pan, trzymający balon na lince. Na karuzeli kręcą się rozmaite pojazdy, a ich pasażerowie próbują złapać balon.
Martynka i Jaś jadą na skuterze. Pufek też wskoczył na skuter.
– Czyj to pies?! – krzyczy pan, zatrzymując karuzelę. – Jeśli ja trzymam balon na smyczy, to pies też powinien być na smyczy!

Uff! Ledwie uciekli.
Janek zajął się psem, Martynka stanęła na moment przy orkiestrze.
– Zaraz, zaraz... Wujek Ryś mówił, że orkiestra w wesołym miasteczku wydmuchuje balony... Ciekawe, z jakich instrumentów? Z tuby, z trąbki, z saksofonu? Jejku! To chyba prawda. Są balony!!!

– Proszę pani, czy te balony wydmuchała dęta orkiestra?
– Tak – uśmiecha się sprzedawczyni. – Wydmuchali balony, bo w czasie grania żuli gumę do żucia. Balonową, oczywiście. Jeden balonik kupił przed chwilą ten chłopiec z psem.
– Jasiek, czyś ty oszalał? Zamiast przypiąć Pufka do smyczy, przywiązałeś mu balon do ogona?

Zjawił się wujek Ryś.
Dzięki niemu Martynka ma słonia. Niebieskiego, kraciastego słonia, o którym marzyła. Wujek zafundował jej bilet na loterię i wygrała.
Teraz pozuje wujkowi do zdjęcia. Ze słoniem oczywiście. A także z Jasiem, Pufkiem i dwoma balonami. Pomarańczowym, który Jaś przyczepił Pufkowi do ogona i niebieskim, który pożyczyli Jasiowi mali Japończycy.
– Pstryk! – Ale będzie zdjęcie! Może nawet w gazecie się znajdzie, bo wujek Ryś robi reportaż do gazety.

A tymczasem wesołe miasteczko już prawie opustoszało. Zrobiło się późno i pora wracać do domu. Jeszcze tylko trzeba poczekać na wujka, który gdzieś tam za karuzelą pstryka ostatnie zdjęcia. Reportaż będzie się nazywał – „Niedziela w wesołym miasteczku". I zdaje się, że Pufek chciałby w tym miasteczku zostać na znacznie dłużej. Wcale nie chce wyjść. Siłą go trzeba wyciągać.

Martynka i kłopoty z bratem
Martynka pod żaglami
Martynka i wielkie sprzątanie
Martynka i 40 kucharzy
Martynka i Święto Kwiatów
Martynka w szkole
Martynka w zoo
Martynka uczy się pływać
Martynka na wsi
Martynka zajmuje się dziećmi
Martynka i osiołek Wesołek
Martynka i przeprowadzka
Martynka w wesołym miasteczku
Martynka i arka Noego
Martynka na biwaku
Martynka i spotkanie z duchami
Martynka w parku
Martynka poznaje ptaki
Martynka na statku
Martynka w samolocie
Martynka tańczy
Martynka leci balonem
Martynka i wróbelek
Martynka i same niespodzianki
Martynka i pies na medal
Martynka i czarownica
Martynka i cztery pory roku
Martynka i kucyk
Martynka i Dzień Mamy
Martynka w podróży
Martynka księżniczka i rycerz
Martynka i braciszek
Martynka bawi się w teatr
Martynka jest chora
Martynka i Gwiazdka
Martynka i króliczek
Martynka idzie na bal
Martynka kocia mama
Martynka poznaje muzykę
Martynka spadła z roweru
Martynka u cioci Lusi
Martynka w krainie baśni
Martynka w krainie jezior
Martynka w kuchni
Martynka szuka Pufka
Martynka i przygody od środy
Martynka wsiada na konia
Martynka w ogrodzie
Martynka i pies Bohater
Martynka w pociągu
Martynka chroni przyrodę
Martynka i tajemniczy książę